# The Mystery of the House on River Street and Other Bilingual Polish-English Short Stories

Coledown Bilingual Books

Published by Coledown Bilingual Books, 2023.

THE MYSTERY OF THE HOUSE ON RIVER STREET AND OTHER BILINGUAL POLISH-ENGLISH SHORT STORIES

**First edition. July 19, 2023.**



ISBN: 979-8223300397

Written by Coledown Bilingual Books.

# Table of Contents

# Tajemnica Kawiarni Pod Jemiołą

Kiedy małe miasteczko Piotrówek Północny ożywało porannym światłem, mieszkańcy wiedzieli, że pewne tajemnice zaczynały się rozwijać. W samym centrum miasteczka, na cichej uliczce, znajdowała się urocza kawiarnia o nazwie "Pod Jemiołą". To właśnie w tym miejscu splatały się losy lokalnych bohaterów, a ich historie stawały się częścią codziennego życia.

Kawiarnia była prowadzona przez sympatyczną panią Magdę. Jej niezwykła intuicja i wrażliwość na potrzeby innych sprawiały, że goście czuli się w niej jak w domu. To w "Pod Jemiołą" wielu z nich odnajdywało swoje szczęście i rozwiązania skomplikowanych problemów. Pan Władysław, emerytowany nauczyciel, odwiedzał kawiarnię codziennie, delektując się kawą i rozmowami z innymi gośćmi. Jego wspomnienia z czasów wojny były dla wielu inspiracją i lekcją historii.

Wśród stałych bywalców była także pani Jadwiga, starsza wdowa, która miała niezwykły talent do szycia. W kawiarni często spotykała się z młodszymi kobietami, ucząc je haftowania i szydełkowania. Jej pracownia stała się miejscem, w którym splatały się tradycje i nowoczesność, a wszyscy goście podziwiali piękno powstających dzieł.

W pewien letni poranek, kiedy słońce rozświetlało ulice Piotrówka Północnego, do kawiarni przybył nieznajomy mężczyzna. Miał na imię Janusz i wyglądał na zmęczonego podróżą. Pani Magda przywitała go serdecznie, zapraszając do stolika przy oknie. Janusz spoglądał na zielony park przed kawiarnią i opowiadał o swoich przygodach z podróży.

Okazało się, że Janusz był pisarzem, który szukał inspiracji do nowej powieści. Zainspirowany historiami ludzi spotykanych w podróży, postanowił znaleźć małe miasteczko, w którym czas płynie inaczej. "Pod Jemiołą" wydało mu się idealnym miejscem do poszukiwań.

Janusz zaczął regularnie odwiedzać kawiarnię, poznając lokalnych mieszkańców i zapisując ich historie. Wkrótce stał się nieodłączną częścią codziennego życia w Piotrówku Północnym. Jego obecność i zainteresowanie sprawiały, że mieszkańcy czuli się ważni i docenieni.

W międzyczasie w kawiarni zaczęły dziać się dziwne rzeczy. Pani Magda odkryła stary album ze zdjęciami, które przedstawiały Piotrówek sprzed lat. Na jednym z nich widniała tajemnicza kobieta trzymająca w ręku gałązkę jemioły. Album wydał się być kluczem do przeszłości, która powoli wypłynęła na światło dzienne.

Historie ludzi z Piotrówka zaczęły się przeplatać z przeszłością, a tajemnica kawiarni "Pod Jemiołą" wkrótce stawała się tajemnicą całego miasteczka. Mieszkańcy zdawali sobie sprawę, że ich losy są połączone i że wiedza zawarta w albumie może przynieść odpowiedzi na ich pytania.

Wszystko nabrało tempa, kiedy do Piotrówka przyjechał dziennikarz z lokalnej gazety. Usłyszał on o tajemnicach kawiarni i postanowił napisać artykuł, który odkryłby prawdę.

Podczas rozmów z mieszkańcami, dowiedział się o ich marzeniach, tęsknotach i potrzebie zrozumienia.

Ostatecznie prawda wypłynęła na światło dzienne. Okazało się, że tajemnicza kobieta ze zdjęcia była prababką pani Magdy. Jemioła była symbolem ich rodziny i niesioną przez pokolenia tajemnicą, która przekazywana była tylko wybranym osobom.

Pani Magda postanowiła podzielić się tą historią z mieszkańcami Piotrówka. Zorganizowała wieczór wspomnień w kawiarni, gdzie opowiedziała o swojej rodzinie i tradycji, która była tak głęboko zakorzeniona w ich życiu. Wszyscy goście słuchali z zapartym tchem, zyskując poczucie więzi i bliskości.

Kawiarnia "Pod Jemiołą" stała się miejscem, które przekraczało granice czasu i przestrzeni. Była symbolem wspólnoty, w której każdy mógł znaleźć ukojenie i odnaleźć swoją własną historię. Piotrówek Północny, choć pozostał małym miasteczkiem na mapie, rozjaśnił się od historii i opowieści, które tu powstały.

A Janusz, pisarz, znalazł w Piotrówku nie tylko inspirację do swojej powieści, ale także przyjaciół i prawdziwe znaczenie. Wrócił do miasteczka co roku, aby czerpać z tego magicznego miejsca i kontynuować pisanie swoich opowieści.

Tak właśnie, między zapachem świeżo parzonej kawy a miękkim światłem "Pod Jemiołą", rozkwitały marzenia i spełniały się tajemnice, czyniąc Piotrówek Północny miejscem wyjątkowym na ziemi.

# The Secret of the Holly Café

When the small town of North Piotrówek came alive with the morning light, the residents knew that certain secrets were beginning to unfold. In the heart of the town, on a quiet street, stood a charming café called "Under the Holly." It was in this place that the fates of local heroes intertwined, and their stories became part of everyday life.

The café was run by the friendly Mrs. Magda. Her extraordinary intuition and sensitivity to the needs of others made guests feel at home. It was in "Under the Holly" that many of them found their happiness and solutions to complicated problems. Mr. Władysław, a retired teacher, visited the café every day, savoring coffee and engaging in conversations with other guests. His war memories served as inspiration and a history lesson for many.

Among the regular patrons was Mrs. Jadwiga, an elderly widow with an extraordinary talent for sewing. In the café, she often met with younger women, teaching them embroidery and crochet. Her workshop became a place where traditions and modernity intertwined, and all the guests admired the beauty of the creations that emerged.

One summer morning, as the sun illuminated the streets of North Piotrówek, a stranger arrived at the café. His name was Janusz, and he looked weary from his journey. Mrs. Magda welcomed him warmly, inviting him to a table by the window.

Janusz gazed at the green park outside the café and shared stories of his adventures from his travels.

It turned out that Janusz was a writer in search of inspiration for a new novel. Inspired by the stories of people he encountered during his journey, he decided to find a small town where time flowed differently. "Under the Holly" seemed like the perfect place for his quest.

Janusz began visiting the café regularly, getting to know the local residents and capturing their stories in writing. Soon, he became an integral part of daily life in North Piotrówek. His presence and genuine interest made the residents feel important and appreciated.

Meanwhile, peculiar things started happening at the café. Mrs. Magda discovered an old album filled with photographs depicting the bygone days of Piotrówek. One particular picture featured a mysterious woman holding a sprig of holly. The album seemed to hold the key to a past that slowly emerged into the light.

The stories of the townspeople became entwined with the past, and the secret of "Under the Holly" soon became the town's secret. The residents realized that their destinies were intertwined, and the knowledge contained within the album could provide answers to their questions.

Everything gained momentum when a journalist from the local newspaper arrived in Piotrówek. He heard about the café's secrets and decided to write an article that would uncover the truth. Through conversations with the townspeople, he learned about their dreams, longings, and the need for understanding.

Eventually, the truth came to light. It turned out that the mysterious woman in the photograph was Mrs. Magda's great-grandmother. The holly was a symbol of their family, carrying secrets passed down through generations and shared only with chosen individuals.

Mrs. Magda decided to share this story with the residents of Piotrówek. She organized an evening of memories at the café, where she spoke about her family and the tradition deeply rooted in their lives. All the guests listened attentively, gaining a sense of connection and closeness.

"Under the Holly" became a place that transcended time and space. It became a symbol of community where everyone could find solace and discover their own stories. Although North Piotrówek remained a small town on the map, it brightened with the histories and tales that originated there.

And Janusz, the writer, found not only inspiration for his novel in Piotrówek but also friends and true meaning. He returned to the town every year to draw from that magical place and continue writing his stories.

Thus, between the aroma of freshly brewed coffee and the soft light of "Under the Holly," dreams blossomed, and secrets were fulfilled, making North Piotrówek a truly special place on earth.

# Tajemnica Zagubionej Melodii

Kiedy pierwsze promienie wschodzącego słońca rozświetlały urocze miasteczko Słoneczny Dolin, a uliczki wypełniały się śpiewem ptaków, nikt nie spodziewał się, że nadchodził dzień, który na zawsze zmieni życie mieszkańców tego malowniczego miejsca. W Słonecznym Dolinie, gdzie czasy zdawały się płynąć wolniej, losy bohaterów splatały się w niespodziewane i tajemnicze sposoby.

Mieszkańcy miasteczka uwielbiali odwiedzać "Kawiarnię pod Melodią", której właścicielką była sympatyczna pani Małgorzata. Kawiarnia ta była nie tylko miejscem, gdzie można było delektować się aromatyczną kawą i pysznymi wypiekami, ale przede wszystkim miejscem, gdzie opowieści odkrywały swoje tajemnice i przemieniały się w niezapomniane wspomnienia.

Pewnego dnia do Słonecznego Dolinu przybył nieznajomy mężczyzna o imieniu Adam. Był to muzyk, którego serce rozbrzmiewało pięknymi dźwiękami. Adam marzył o odnalezieniu utraconej melodii, która kiedyś była ważna dla jego rodziny. Kiedy usłyszał o kawiarni pod Melodią, poczuł, że to może być miejsce, gdzie odnajdzie zagubioną nutę.

Pani Małgorzata, pełna ciepła i troski, przywitała Adama z szerokim uśmiechem. Wiedziała, że kawiarnia pod Melodią przyciągała ludzi z różnych środowisk, każdego z własną historią do opowiedzenia. Pani Małgorzata zaprosiła Adama do miejsca przy oknie, gdzie mógł delektować się widokiem malowniczych wzgórz i szumem rzeki, która przepływała przez miasteczko.

W międzyczasie w kawiarni pod Melodią rozbrzmiewała muzyka, którą grał pan Stanisław, starszy pan o szarych włosach i radosnym spojrzeniu. Był to wieloletni mieszkaniec Słonecznego Dolinu, który obdarzony był niezwykłym talentem muzycznym. Jego melodie były pełne tajemnicy i melancholii, przyciągając serca ludzi z daleka.

Adam coraz częściej spotykał się z panem Stanisławem, słuchając jego opowieści i słów mądrości. Pan Stanisław, zauważając pasję młodego muzyka, podzielił się swoją własną historią. Okazało się, że jego rodzina była kiedyś związana z utraconą melodią, która była przekazywana z pokolenia na pokolenie. Niestety, melodia zaginęła w czasach wojny, a pan Stanisław marzył o jej odnalezieniu, by przekazać ją dalej.

Zainspirowany historią pana Stanisława, Adam postanowił pomóc w poszukiwaniach zagubionej melodii. Wspólnie z panem Stanisławem odwiedzili lokalne archiwa, przeszukując stare dokumenty i zapisy. Ich poszukiwania przenosiły ich w głąb historii Słonecznego Dolinu, odkrywając sekrety, które przez lata były skrywane.

W międzyczasie mieszkańcy miasteczka zauważyli coraz większą harmonię wokół siebie. Kawiarnia pod Melodią stała się miejscem, gdzie problemy rozwiązywano przy kubku gorącej kawy, a radość dzielono w rytmie muzyki. Ludzie z różnych środowisk spotykali się tu, odkrywając wspólne pasje i wzajemne wsparcie.

W końcu przyszedł dzień, gdy Adam i pan Stanisław odkryli w archiwach dawno zapomnianą nutę. Była to melodia, która przenosiła w czasie i przestrzeni, a jednocześnie stanowiła głos przodków Słonecznego Dolinu. Ich radość była nieopisana, a odnalezienie zagubionej melodii przyniosło poczucie pełni i harmonii.

Wszystko kulminowało w wielkim koncercie, zorganizowanym w samym sercu Słonecznego Dolinu. Na scenie wystąpili zarówno Adam, jak i pan Stanisław, grając razem melodię, która od lat była zagubiona. Mieszkańcy miasteczka zebrali się, aby uczcić ten wyjątkowy moment i przypomnieć sobie wartość muzyki i wspólnoty.

Melodia przemówiła do serc wszystkich obecnych, jednocząc ich w pięknej harmonii. Słoneczny Dolin odzyskał swoje dziedzictwo muzyczne, a mieszkańcy odkryli, że każdy z nich posiada swoją własną melodię, którą warto wyrazić.

Kawiarnia pod Melodią stała się centrum kulturalnym miasteczka, gromadząc artystów, muzyków i entuzjastów. To właśnie tam odbywały się koncerty, wystawy i warsztaty, które umacniały więzi społeczne i czerpały z bogactwa talentów lokalnej społeczności.

Adam, pan Stanisław i pani Małgorzata pozostali kluczowymi postaciami w historii Słonecznego Dolinu. Ich troska o tradycję, muzykę i wspólnotę sprawiła, że miasteczko stało się jeszcze piękniejsze i bardziej szczęśliwe.

Tak więc, wśród dźwięków muzyki, tajemnicy i wzajemnej troski, Słoneczny Dolin przemienił się w miejsce, w którym każdy mógł znaleźć swoją zagubioną melodię i przekazać ją światu. Historia miasteczka była teraz ożywiona, tworząc opowieść o miłości, pasji i niezwykłej mocy, jaka tkwi w każdym z nas.

# The Secret of the Lost Melody

When the first rays of the rising sun illuminated the charming town of Sun Valley, and the streets filled with the songs of birds, no one expected that a day would come that would forever change the lives of its residents. In Sun Valley, where time seemed to flow slower, the destinies of its inhabitants intertwined in unexpected and mysterious ways.

The townspeople loved to visit the "Café under the Melody," owned by the friendly Mrs. Małgorzata. The café was not only a place to enjoy aromatic coffee and delicious pastries but, above all, a place where stories revealed their secrets and transformed into unforgettable memories.

One day, a stranger named Adam arrived in Sun Valley. He was a musician whose heart resonated with beautiful melodies. Adam dreamed of finding a lost melody that had once been important to his family. When he heard about the Café under the Melody, he felt that it might be the place where he would rediscover the lost note.

Mrs. Małgorzata, full of warmth and care, greeted Adam with a broad smile. She knew that the Café under the Melody attracted people from various backgrounds, each with their own story to tell. Mrs. Małgorzata invited Adam to a seat by the window, where he could savor the view of picturesque hills and the sound of the river flowing through the town.

Meanwhile, the Café under the Melody resounded with music played by Mr. Stanisław, an older man with gray hair and a joyful gaze. He was a long-time resident of Sun Valley, blessed with an extraordinary musical talent. His melodies were filled with mystery and melancholy, attracting the hearts of people from afar.

Adam began to meet with Mr. Stanisław more frequently, listening to his stories and words of wisdom. Mr. Stanisław, noticing the young musician's passion, shared his own story. It turned out that his family had been connected to the lost melody, passed down from generation to generation. Unfortunately, the melody had disappeared during the war, and Mr. Stanisław dreamed of finding it to pass it on.

Inspired by Mr. Stanisław's story, Adam decided to help in the search for the lost melody. Together with Mr. Stanisław, they visited local archives, searching through old documents and records. Their quest took them deep into the history of Sun Valley, uncovering secrets that had been hidden for years.

In the meantime, the townspeople noticed an increasing harmony around them. The Café under the Melody became a place where problems were solved over a cup of hot coffee, and joy was shared to the rhythm of music. People from different backgrounds gathered there, discovering common passions and mutual support.

Finally, the day came when Adam and Mr. Stanisław discovered the long-forgotten melody in the archives. It was a tune that transported them through time and space, and at the same time, it represented the voice of Sun Valley's ancestors. Their joy was indescribable, and the rediscovery of the lost melody brought a sense of completeness and harmony.

Everything culminated in a grand concert organized in the heart of Sun Valley. Both Adam and Mr. Stanisław took the stage, playing together the melody that had been lost for years. The townspeople gathered to celebrate this extraordinary moment and to remind themselves of the value of music and community.

The melody spoke to the hearts of all present, uniting them in beautiful harmony. Sun Valley regained its musical heritage, and its residents discovered that each of them possessed their own melody worth expressing.

The Café under the Melody became the cultural center of the town, attracting artists, musicians, and enthusiasts. It was there that concerts, exhibitions, and workshops took place, strengthening social bonds and drawing from the richness of the local community's talents.

Adam, Mr. Stanisław, and Mrs. Małgorzata remained key figures in the story of Sun Valley. Their care for tradition, music, and community made the town even more beautiful and happier.

Thus, amidst the sounds of music, mystery, and mutual care, Sun Valley transformed into a place where everyone could find their lost melody and share it with the world. The town's story came alive, creating a tale of love, passion, and the extraordinary power that resides within each of us.

# Tajemnica Zaginionych Dusz

Na spokojnym przedmieściu Gdańska, wśród kamiennych kamienic i zadumanych uliczek, kryła się mała enklawa pełna tajemnic. Osiedle Tęczowego Skrzydła było jak oaza spokoju, gdzie czas płynął wolniej, a życie toczyło się w rytmie codziennych przyjemności. To właśnie tam, w cieniu starej winorośli, rozgrywały się historie bohaterów, których losy splecione były w misterną sieć niezwykłych zdarzeń.

W centrum osiedla stał stary, urokliwy budynek, zwanym "Domem Dusz". Był to niezwykły pensjonat prowadzony przez panią Emilię, kobietę o sercu pełnym dobroci i troski. Wnosiła ona spokój i harmonię do życia swoich gości, czuwając nad każdym z nich jak nad własnym dzieckiem. "Dom Dusz" był miejscem, gdzie ludzie z różnych zakątków świata przyjeżdżali w poszukiwaniu ukojenia, zgubionych marzeń i nowego początku.

Jednym z gości "Domu Dusz" był pan Aleksander, starszy człowiek o spokojnej duszy i spojrzeniu pełnym tęsknoty. Przeżył wiele burzliwych lat, ale teraz poszukiwał spokoju i zgubionych wspomnień. Pani Emilia przyjęła go serdecznie, zapewniając mu wygodny pokój z widokiem na ogród pełen kolorowych kwiatów. Pan Aleksander często spacerował po zaczarowanych ścieżkach, snując opowieści o swojej przeszłości.

W międzyczasie, na drugim piętrze "Domu Dusz", mieszkała tajemnicza młoda kobieta o imieniu Anna. Była ona pełna tajemnicy i skrywała w sobie niezwykłe zdolności. Jej wrażliwość na energię otaczającego świata sprawiała, że potrafiła odczytywać nastroje i uczucia innych ludzi. To właśnie dlatego pani Emilia zaoferowała Ani pracę w pensjonacie, wierząc, że może pomóc innym gościom odnaleźć wewnętrzny spokój.

Pewnego deszczowego wieczoru, gdy błyskawice rozświetlały niebo i deszcz huczał po dachach, w "Domu Dusz" pojawił się nieoczekiwany gość. Był to tajemniczy mężczyzna o imieniu Marek. Wszedł do pensjonatu, mokry i zmęczony, ale oczekujący na coś więcej. Pani Emilia przyjęła go z ciepłem i zapewniła mu schronienie przed burzą.

Wkrótce okazało się, że Marek posiada niezwykły dar - umiejętność słuchania dusz zmarłych. Dźwięki ich historii docierały do niego w ciszy nocy, zanurzając go w przeszłości, która pragnęła wydostać się na światło dzienne. Pani Emilia, zafascynowana tym darem, poprosiła Marka o pomoc w odkryciu tajemnic związanych z "Domem Dusz" i jego mieszkańcami.

Razem z Anną, panem Aleksandrem i innymi gośćmi, Marek rozpoczął swoje poszukiwania. Zanurzyli się w historiach przeszłości, odczytując zapiski, odnajdując ukryte skarby i odkrywając prawdy, które przez lata były zapomniane. W "Domu Dusz" wszystko było możliwe, a granica między światami stawała się coraz cieńsza.

W międzyczasie mieszkańcy Tęczowego Skrzydła zaczęli dostrzegać niezwykłe zdarzenia. Ich codzienne życie nabierało magii, a sąsiedzkie więzi umacniały się w atmosferze wzajemnej życzliwości. Dusze przeszłości przemawiały do nich, napędzając marzenia i inspirując do odkrywania własnych talentów.

W końcu nadszedł dzień, gdy "Dom Dusz" otworzył swoje podwoje dla całej społeczności. Odbyła się wielka uroczystość, która połączyła wszystkich mieszkańców Tęczowego Skrzydła. To było święto miłości, zgubionych marzeń i nowych początków. Dusze przeszłości znalazły swoje miejsce w sercach ludzi, dając im siłę do tworzenia swojej własnej historii.

Pani Emilia, Marek, Anna, pan Aleksander i reszta mieszkańców osiedla stali się rodziną, której więzy były silniejsze niż kiedykolwiek wcześniej. "Dom Dusz" stał się symbolem magii, miłości i transformacji, przyciągając do siebie kolejne dusze, które poszukiwały ukojenia i odnalezienia swojej prawdziwej drogi.

Wśród zapachów świeżego ciasta i dźwięków muzyki, Tęczowe Skrzydło stawało się miejscem, gdzie każdy mógł odnaleźć swoje zaginione marzenia i poznać tajemnice swojej duszy. To był początek nowego rozdziału w historii miasteczka, w którym każdy mógł być uczestnikiem niezwykłych opowieści.

I tak, wśród ciepła przyjaźni, tajemnic i mistycyzmu, Tęczowe Skrzydło przemieniło się w miejsce, w którym dusze odnajdywały swoje przeznaczenie, a miłość i magia towarzyszyły każdemu kroku. A opowieści o tym małym osiedlu przetrwały wieki, inspirując kolejne pokolenia do poszukiwania swoich własnych zaginionych dusz.

# The Secret of the Lost Souls

In the peaceful suburb of Gdansk, amidst the stone houses and contemplative streets, there hid a small enclave full of mysteries. Rainbow Wing Estate was like an oasis of tranquility, where time flowed slower and life unfolded in the rhythm of everyday pleasures. It was there, in the shade of an ancient vine, that the stories of the residents unfolded, their fates intertwined in a intricate web of extraordinary events.

At the heart of the estate stood an old, charming building known as the "House of Souls." It was an extraordinary guesthouse run by Mrs. Emilia, a woman with a heart full of kindness and care. She brought peace and harmony to the lives of her guests, watching over each one of them as if they were her own children. The House of Souls was a place where people from different corners of the world came in search of solace, lost dreams, and a fresh start.

One of the guests at the House of Souls was Mr. Aleksander, an elderly man with a gentle soul and a gaze filled with longing. He had lived through turbulent years and now sought peace and the recovery of lost memories. Mrs. Emilia welcomed him warmly, providing him with a comfortable room overlooking the garden, filled with colorful flowers. Mr. Aleksander often strolled along enchanted paths, weaving stories of his past.

Meanwhile, on the second floor of the House of Souls, lived a mysterious young woman named Anna. She was shrouded in secrecy and possessed extraordinary abilities. Her sensitivity to the energy of the surrounding world enabled her to perceive the moods and emotions of others. It was for this reason that Mrs. Emilia offered Anna a job at the guesthouse, believing that she could help other guests find inner peace.

On a rainy evening, when lightning illuminated the sky and rain poured over the rooftops, an unexpected guest arrived at the House of Souls. He was a mysterious man named Marek. He entered the guesthouse, wet and weary, but yearning for something more. Mrs. Emilia warmly welcomed him, providing him shelter from the storm.

Soon, it became apparent that Marek possessed an extraordinary gift – the ability to listen to the souls of the departed. The sounds of their stories reached him in the silence of the night, immersing him in the past that yearned to come to light. Fascinated by this gift, Mrs. Emilia asked Marek for help in uncovering the secrets connected to the House of Souls and its residents.

Together with Anna, Mr. Aleksander, and other guests, Marek embarked on his quest. They delved into the histories of the past, deciphering notes, uncovering hidden treasures, and discovering truths that had been forgotten over the years. In the House of Souls, anything was possible, and the boundary between worlds grew increasingly thin.

Meanwhile, the residents of Rainbow Wing Estate began to notice extraordinary occurrences. Their everyday lives took on a touch of magic, and neighborly bonds were strengthened in an atmosphere of mutual kindness. The souls of the past spoke to them, fueling dreams and inspiring the exploration of their own talents.

Finally, the day arrived when the House of Souls opened its doors to the entire community. A grand celebration took place, uniting all the residents of Rainbow Wing Estate. It was a celebration of love, lost dreams, and new beginnings. The souls of the past found their place in the hearts of the people, giving them the strength to create their own stories.

Mrs. Emilia, Marek, Anna, Mr. Aleksander, and the rest of the estate's residents became a family, their bonds stronger than ever before. The House of Souls became a symbol of magic, love, and transformation, drawing in more souls seeking solace and a rediscovery of their true path.

Amidst the aroma of freshly baked goods and the sounds of music, Rainbow Wing Estate became a place where everyone could find their lost dreams and uncover the secrets of their souls. It marked the beginning of a new chapter in the town's history, where everyone could be a participant in extraordinary tales.

And so, amidst the warmth of friendship, mysteries, and mysticism, Rainbow Wing Estate transformed into a place where souls found their destinies, and love and magic accompanied every step. The stories of this small estate would endure for ages, inspiring future generations to search for their own lost souls.

# Tajemnica Zaginionych Zegarków

W miasteczku Wesołów nad jeziorem, gdzie czas płynął spokojnie i życie toczyło się w harmonii z przyrodą, kryły się niezwykłe tajemnice. W sercu miasteczka, na skrzyżowaniu dwóch malowniczych uliczek, znajdował się sklep zegarmistrza - "Dom Czasu". To właśnie tam, między biciem zegarów a szeptem kieszonkowych zegarków, rozgrywały się historie bohaterów, których losy splatały się w misterną sieć niezwykłych wydarzeń.

"Dom Czasu" prowadził pan Antoni, zegarmistrz o długiej siwobrodzie i sercu pełnym pasji do swojego rzemiosła. Był on mistrzem w naprawie i odnawianiu starych zegarów, a także twórcą nowych dzieł, które zachwycały swoją precyzją i pięknem. Ludzie z całego miasteczka przychodzili do "Domu Czasu", szukając naprawy dla swoich ukochanych zegarków i poznając tajemnice czasu.

Jednego deszczowego popołudnia do Wesołowa przyjechał nieznajomy pan Józef. Był to starszy człowiek o tajemniczej przeszłości, który ukrywał swój smutek pod staroświeckim kapeluszem. Pan Józef wędrował od miejsca do miejsca, poszukując czegoś, co zgubił wiele lat temu. Kiedy usłyszał o "Domu Czasu", poczuł, że może znaleźć tam odpowiedź na swoje pytania.

Pan Antoni, z wrodzoną wrażliwością na ludzkie potrzeby, przyjął pana Józefa z otwartymi ramionami. Przez deszczowe okno widział smutek i tęsknotę w oczach gościa. Zaprosił go do swojego warsztatu, gdzie zapach drewna i delikatne dźwięki klekotu zegarowych części tworzyły niepowtarzalną atmosferę.

Tymczasem, w pobliskim parku, młoda kobieta o imieniu Julia odnalazła stary, pozłacany zegarek. Miała wrażenie, że to odkrycie ma dla niej szczególne znaczenie. Postanowiła odwiedzić "Dom Czasu" i poprosić pana Antoniego o pomoc w rozwiązaniu zagadki zegarka.

Pan Antoni przyjął Julię z uśmiechem, zauważając jej zaintrygowanie. Błyszczący zegarek rozpalał jego ciekawość, a jednocześnie budził w nim wspomnienia przeszłości. Przekazał Julianie, żeby wróciła następnego dnia, gdy będzie mógł zbadać zegar dokładniej.

W międzyczasie, w "Domu Czasu" działy się dziwne rzeczy. Zegary zaczęły działać niespokojnie, ich wskazówki poruszały się w sposób nieprzewidywalny, a tajemnicze dźwięki wydobywały się z mechanizmów. Pan Antoni był zaniepokojony, ale jednocześnie widział w tym coś więcej - jakby ukryte przesłanie, które musiał odkryć.

Następnego dnia Julia wróciła do "Domu Czasu", nieświadoma tego, co wydarzyło się w nocy. Pan Antoni przywitał ją serdecznie i rozpoczął badanie zegarka. Podczas pracy zauważył w nim ukryte skrawki papieru, które przytrzymywały pewien przedmiot. Po delikatnym usunięciu papieru, ukazała się mała, zaginiona fotografia.

Julia zamarła na chwilę, gdy ujrzała zdjęcie. Był to obrazek jej dziadka, który zaginął w czasie wojny. Pan Antoni, widząc emocje Julii, wiedział, że to odkrycie miało ogromne znaczenie.

Wspólnie postanowili poszukać odpowiedzi na pytania, które narodziły się w ich sercach.

Pan Józef, który obserwował całą sytuację, zdecydował się podzielić swoją historią. Okazało się, że jego ojciec, również zegarmistrz, kiedyś posiadał zegarek o podobnym wzorze. To właśnie on zgubił się w czasie wojny, a pan Józef przez lata poszukiwał tego zaginionego dziedzictwa rodziny.

Rozpoczęła się mistyczna podróż przez czas, w której pan Antoni, Julia i pan Józef odkrywali tajemnice zegarków. Odwiedzili ukryte antykwariaty, spotkali zegarmistrzów ze starych rodzin i zgłębiali historię swoich bliskich. Wspólnie odkrywali, że zegarki nie tylko mierzą czas, ale także przechowują wspomnienia i historie, które można odkryć.

W międzyczasie, mieszkańcy Wesołowa nad jeziorem zauważali, że ich zegary również zaczęły działać inaczej. Wskazówki poruszały się w jednolitym rytmie, a dźwięki wydobywające się z zegarów tworzyły harmonijną symfonię. To było jakby ożywienie miasteczka, które tętniło życiem na nowo.

W końcu nadszedł dzień, gdy pan Antoni, Julia i pan Józef odkryli ukryty skarb - zegar, który należa

ł do ojca pana Józefa. Był to nie tylko zegar, ale także symbol przeszłości i dziedzictwa rodziny. Wspólnie postanowili przywrócić mu dawny blask, naprawiając i ożywiając jego mechanizm.

Wieczorem odbyła się uroczystość w "Domu Czasu", na której mieszkańcy Wesołowa nad jeziorem zebrali się, by uczcić powrót zaginionych zegarków i odkrycie tajemnic przeszłości. Wszyscy zgromadzeni podziwiali starannie odrestaurowane zegary, które znów biły w jednym rytmie, oddając prawdziwy duch miasteczka.

"Dom Czasu" stał się symbolem wspomnień i historii, przyciągając turystów z daleka, którzy chcieli poznać tajemnice ukryte w zegarach. Pan Antoni, Julia i pan Józef zostali bohaterami miasteczka, ich historia stając się częścią legendy, która przetrwała przez pokolenia.

I tak, wśród dźwięków tikających zegarów i tajemnic przeszłości, Wesołów nad jeziorem stał się miejscem, w którym czas i wspomnienia splatały się w harmonii. Opowieści o zaginionych zegarkach przetrwały lata, inspirując kolejne pokolenia do odkrywania swojego dziedzictwa i zachowania wspomnień.

# The Mystery of the Lost Watches

In the town of Wesołów by the lake, where time flowed peacefully and life unfolded in harmony with nature, hidden extraordinary mysteries awaited. At the heart of the town, at the intersection of two picturesque streets, stood a watchmaker's shop called "House of Time." It was there, between the ticking of clocks and the whispers of pocket watches, that the stories of the characters unfolded, their fates intertwined in a complex web of extraordinary events.

The "House of Time" was run by Mr. Antoni, a watchmaker with a long salt-and-pepper beard and a heart full of passion for his craft. He was a master of repairing and restoring old watches, as well as creating new timepieces that mesmerized with their precision and beauty. People from all over the town came to the "House of Time," seeking repairs for their beloved watches and uncovering the secrets of time.

One rainy afternoon, a stranger named Mr. Józef arrived in Wesołów. He was an elderly man with a mysterious past, hiding his sorrow beneath an old-fashioned hat. Mr. Józef wandered from place to place, searching for something he had lost many years ago. When he heard about the "House of Time," he felt that he might find the answers to his questions there.

Mr. Antoni, with innate sensitivity to human needs, welcomed Mr. Józef with open arms. Through the rain-streaked window, he could see the sadness and longing in the guest's eyes. He invited him into his workshop, where the scent of wood and the delicate sound of clock parts created a unique atmosphere.

Meanwhile, in a nearby park, a young woman named Julia discovered an old, gold-plated watch. She had a sense that this discovery held special significance for her. She decided to visit the "House of Time" and ask Mr. Antoni for help in unraveling the mystery of the watch.

Mr. Antoni greeted Julia with a smile, noticing her intrigue. The gleaming watch ignited his curiosity, while simultaneously evoking memories from the past. He instructed Julia to return the next day when he would be able to examine the watch more closely.

In the meantime, peculiar things were happening in the "House of Time." The clocks began to behave restlessly, their hands moving unpredictably, and mysterious sounds emanated from their mechanisms. Mr. Antoni was concerned, but he also sensed something more—a hidden message that he needed to uncover.

The following day, Julia returned to the "House of Time," unaware of what had transpired during the night. Mr. Antoni welcomed her warmly and began examining the watch. During his work, he noticed hidden scraps of paper inside, securing a small object. Carefully removing the paper, a lost photograph was revealed.

Julia froze for a moment as she gazed at the photograph. It was an image of her grandfather, who had gone missing during the war. Mr. Antoni, witnessing Julia's emotions, knew that this discovery held immense significance. Together, they decided to seek answers to the questions that had arisen in their hearts.

Mr. Józef, who had been observing the situation, decided to share his own story. It turned out that his father, also a watchmaker, once owned a watch with a similar pattern. It had been lost during the war, and Mr. Józef had spent years searching for this lost family heirloom.

Thus began a mystical journey through time, as Mr. Antoni, Julia, and Mr. Józef unraveled the secrets of the watches. They visited hidden antique shops, met watchmakers from old families, and delved into the histories of their loved ones. Together, they discovered that watches not only measure time but also preserve memories and stories waiting to be discovered.

In the meantime, the residents of Wesołów by the lake noticed that their watches also began to behave differently. The hands moved in a unified rhythm, and the sounds emanating from the timepieces created a harmonious symphony. It was as if the town itself had come alive, pulsating with new life.

Finally, the day arrived when Mr. Antoni, Julia, and Mr. Józef discovered a hidden treasure—the watch that had belonged to Mr. Józef's father. It was not just a watch; it was a symbol of the past and the family's heritage. Together, they decided to restore its former glory, repairing and revitalizing its mechanism.

In the evening, a ceremony was held at the "House of Time," where the residents of Wesołów by the lake gathered to celebrate the return of the lost watches and the discovery of the mysteries of the past. Everyone admired the carefully restored watches, which now ticked in unison, embodying the true spirit of the town.

The "House of Time" became a symbol of memories and history, attracting tourists from far and wide who wanted to uncover the secrets hidden within the watches. Mr. Antoni, Julia, and Mr. Józef became the heroes of the town, their story becoming part of the legend that endured for generations.

And so, amidst the sounds of ticking clocks and the mysteries of the past, Wesołów by the lake became a place where time and memories intertwined in harmony. The tales of the lost watches endured for years, inspiring future generations to discover their own heritage and preserve memories.

# Tajemnica Zaginionej Muzyki

W niewielkim miasteczku Żurawików, gdzie dni płynęły spokojnie i ludzie cieszyli się prostym życiem, istniał detektyw o niezwykłych zdolnościach. Jego imię to Konrad Borek, a znany był on ze swojej ostrożności, spostrzegawczości i umiejętności rozwiązywania najbardziej skomplikowanych zagadek. Żurawików był miejscem, w którym Konrad Borek rozpoczynał kolejne przygody detektywistyczne.

Pewnego dnia, gdy nad miastem unosiła się mgła, do biura Konrada Borka wparował młody mężczyzna o roztrzęsionym głosie. Był to Artur Wolski, znanym melomanem i właścicielem sklepu muzycznego w Żurawikowie. Artur wydawał się zaniepokojony i roztrzęsiony, mówiąc o tajemniczych zniknięciach płyt z jego kolekcji.

Konrad Borek, zaciekawiony tą niezwykłą sprawą, uspokoił Artura i zaproponował pomoc w rozwiązaniu zagadki. Był to dla niego nietypowy przypadek, ponieważ większość jego dotychczasowych spraw dotyczyła kradzieży lub zaginięcia cennych przedmiotów, a nie płyt muzycznych. Jednak Konrad wiedział, że nawet najmniejsze zagadki mogą prowadzić do największych odkryć.

Razem z Arturem udali się do sklepu muzycznego, gdzie dokładnie przyjrzeli się miejscu, w którym przechowywane były płyty. Wydawało się, że żadne drzwi nie były sforsowane, a okna były nietknięte. Było to jeszcze bardziej zagadkowe, gdyż żadne ślady włamania nie wskazywały na to, żeby ktokolwiek wtargnął do sklepu.

Konrad Borek postanowił rozmawiać z pracownikami sklepu i lokalnymi mieszkańcami, aby zdobyć więcej informacji. Okazało się, że wiele osób z miasteczka było zaniepokojonych tymi tajemniczymi zniknięciami płyt muzycznych. Wśród nich był również pan Jan, starszy mężczyzna, który był wiernym klientem sklepu Artura i miał wiedzę o historii Żurawikowa, która mogła być związana z tą zagadką.

Pan Jan opowiedział Konradowi o dawnej sali koncertowej w Żurawikowie, która niegdyś była miejscem wielkich wydarzeń muzycznych. Słynni artyści występowali tam przed zachwyconą publicznością, a sala była znana z niezwykłej akustyki. Jednak po tragicznym pożarze, sala została opuszczona i zapomniana.

Konrad wyczuł, że to może być klucz do rozwiązania zagadki. Razem z Arturem postanowili zbadać tę opuszczoną salę, licząc na jakieś wskazówki, które pomogą im znaleźć zaginione płyty muzyczne.

Kiedy Konrad Borek i Artur Wolski dotarli do opuszczonej sali koncertowej, zastali ją w stanie ruiny. Okna były zbite, a ściany pokryte warstwą kurzu. Panowała tam niezwykła atmosfera, pełna historii i tajemnic.

Konrad i Artur przeszukali salę, szukając jakichkolwiek wskazówek, które mogłyby pomóc w rozwiązaniu zagadki zaginionych płyt. Nagle, podczas przeglądania starych nut, Artur znalazł tajemniczą partię nutową, której nie kojarzył. Była to nieznana kompozycja, opatrzona jedynie tajemniczym symbolem.

Konrad i Artur postanowili dogłębniej zbadać tę kompozycję, wierząc, że może ona być kluczem do rozwiązania zagadki. Skonsultowali się z lokalnymi ekspertami muzycznymi i muzycznymi historykami, którzy mogliby im pomóc w odczytaniu nutowego zagadki.

W trakcie badań odkryli, że ta nieznana kompozycja była dziełem mało znanego kompozytora, który żył w okresie, gdy sala koncertowa w Żurawikowie była jeszcze czynna. Kompozycja nosiła tytuł "Melodia Zapomnianych Dźwięków" i miała być wykonana tylko raz, podczas ostatniego koncertu w sali przed jej zamknięciem.

Konrad i Artur byli przekonani, że ta tajemnicza kompozycja była kluczem do rozwiązania zagadki. Postanowili zorganizować specjalny koncert, podczas którego zostanie wykonana ta nieznana melodia. Może to sprowokować ukrytego złodzieja do ujawnienia się i zakończenia tej niezwykłej tajemnicy.

Wieczór koncertowy w opuszczonej sali koncertowej był niezwykły. Mieszkańcy Żurawikowa zgromadzili się, aby wysłuchać wyjątkowego wykonania "Melodii Zapomnianych Dźwięków". Wśród nich byli detektyw Konrad Borek, Artur Wolski i pan Jan, który znał tajemnice miasteczka.

W momencie, gdy ostatnie dźwięki melodi wypełniły przestrzeń, tajemniczy mężczyzna wyrwał się spod tłumu i wyszedł na scenę. Był to pan Paweł, miejscowy muzyk i dawny pracownik sali koncertowej. Okazało się, że to on był odpowiedzialny za kradzieże płyt muzycznych.

Pan Paweł wyznał, że zafascynowany historią sali koncertowej, postanowił ukryć się w jej wnętrzu, pragnąc zachować ducha muzyki. Zniknięcie płyt miało na celu przyciągnięcie uwagi i ożywienie miasteczka muzyczną tajemnicą.

Dzięki determinacji Konrada Borka i współpracy z Arturem Wolskim, zagadka zaginionych płyt została rozwiązana. Pan Paweł został pojmany i zaprowadzony przed wymiar sprawiedliwości, a skradzione płyty powróciły do swojego właściciela.

Żurawików odzyskał spokój i miłość do muzyki. Detektyw Konrad Borek kontynuował swoją pracę w Żurawikowie, rozwiązując kolejne zagadki, a Artur Wolski otworzył nowy rozdział w swoim sklepie muzycznym, dzieląc się z innymi pasją do muzyki.

I tak, dzięki detektywowi Borkowi, Żurawików odkrył swoje tajemnice i na nowo rozpalił płomień muzyki i tajemnicy.

# The Mystery of the Vanished Melody

In the small town of Żurawików, where days flowed peacefully and people enjoyed a simple life, there was a detective with extraordinary abilities. His name was Konrad Borek, and he was known for his caution, keen observation, and knack for solving the most intricate puzzles. Żurawików was a place where Konrad Borek embarked on his detective adventures.

One day, when a fog hung over the town, a young man burst into Konrad Borek's office, his voice trembling. His name was Artur Wolski, a renowned music lover and the owner of a music store in Żurawików. Artur seemed distraught and agitated as he spoke of the mysterious disappearances of records from his collection.

Intrigued by this unusual case, Konrad Borek reassured Artur and offered his assistance in solving the puzzle. It was an atypical case for him since most of his previous cases involved thefts or the disappearance of valuable objects rather than musical records. However, Konrad knew that even the smallest mysteries could lead to the greatest discoveries.

Together with Artur, they went to the music store and carefully examined the place where the records were kept. It appeared that no doors had been tampered with, and the windows were undisturbed. It was even more puzzling because there were no signs of a break-in that would indicate someone had entered the store.

Konrad Borek decided to speak with the store employees and local residents to gather more information. It turned out that many people in town were concerned about these mysterious record disappearances. Among them was Mr. Jan, an older gentleman who was a loyal customer of Artur's store and had knowledge of Żurawików's history that might be connected to the puzzle.

Mr. Jan told Konrad about a former concert hall in Żurawików that used to be a venue for great musical events. Famous artists performed there to an enchanted audience, and the hall was known for its exceptional acoustics. However, after a tragic fire, the hall was abandoned and forgotten.

Konrad sensed that this could be the key to solving the puzzle. Together with Artur, they decided to explore the abandoned concert hall, hoping to find some clues that would help them locate the missing records.

When Konrad Borek and Artur Wolski arrived at the abandoned concert hall, they found it in ruins. The windows were shattered, and the walls were covered in a layer of dust. There was an eerie atmosphere, full of history and secrets.

Konrad and Artur searched the hall, looking for any clues that might assist them in solving the mystery of the missing records. Suddenly, while going through old sheet music, Artur discovered a mysterious musical composition that he didn't recognize. It was an unknown piece, marked only with a cryptic symbol.

Konrad and Artur decided to investigate this composition further, believing it could be the key to unraveling the mystery.

They consulted local music experts and music historians who might help them decipher the musical puzzle.

During their research, they discovered that the unknown composition was the work of a little-known composer who lived during the time when the concert hall in Żurawików was still active. The composition was titled "The Melody of Forgotten Sounds" and was meant to be performed only once, during the final concert in the hall before its closure.

Konrad and Artur were convinced that this mysterious composition held the key to solving the puzzle. They decided to organize a special concert featuring the unknown melody. Perhaps it would provoke the hidden thief to reveal themselves and put an end to this extraordinary mystery.

The evening of the concert in the abandoned concert hall was extraordinary. The people of Żurawików gathered to listen to the exceptional performance of "The Melody of Forgotten Sounds." Among them were Detective Konrad Borek, Artur Wolski, and Mr. Jan, who held the secrets of the town.

As the final notes of the melody filled the space, a mysterious figure broke free from the crowd and stepped onto the stage. It was Mr. Paweł, a local musician and former employee of the concert hall. It turned out that he was responsible for the thefts of the musical records.

Mr. Paweł confessed that he was fascinated by the history of the concert hall and decided to hide within its walls, wanting to preserve the spirit of music. The theft of the records was meant to draw attention and revive the town with a musical mystery.

Thanks to the determination of Konrad Borek and the collaboration with Artur Wolski, the puzzle of the missing records was solved. Mr. Paweł was apprehended and brought to justice, and the stolen records were returned to their rightful owner.

Żurawików regained its peace and love for music. Detective Konrad Borek continued his work in Żurawików, solving new mysteries, while Artur Wolski opened a new chapter in his music store, sharing his passion with others.

And so, thanks to Detective Borek, Żurawików uncovered its mysteries and rekindled the flame of music and intrigue.

# Kulinarna Rywalizacja w Cukierni Róż

W malowniczym miasteczku Podróżeńsko panował wyjątkowy klimat. Był to świat, gdzie codzienne życie przesiąknięte było zapachem cynamonu, a ulice rozbrzmiewały śpiewem ptaków. W samym sercu miasteczka znajdowała się słynna Cukiernia Róż, prowadzona przez panią Cecylię, utalentowaną cukierniczkę o magicznym dotyku. Jej wypieki były nie tylko przepyszne, ale również otulały serca ludzi ciepłem i radością.

Pewnego dnia do Cukierni Róż dotarła wiadomość o organizowanym konkursie cukierniczym, który miał odbyć się na najbliższej wystawie gastronomicznej. Była to okazja dla pani Cecylii, aby zaprezentować swoje umiejętności i zdobyć sławę jako jedna z najlepszych cukierników w kraju.

Pani Cecylia była podekscytowana i postanowiła przygotować się do konkursu w sposób wyjątkowy. Wzięła udział w serii warsztatów, które miały poszerzyć jej umiejętności i inspirację. Poznała również innych cukierników, którzy mieli brać udział w konkursie. Było wśród nich pięcioro wyjątkowych osób: Ania, Marek, Karolina, Grzegorz i Ewa. Każdy z nich miał swój unikalny styl i smak, które miały przyciągnąć uwagę jury konkursowego.

Pani Cecylia wróciła do Cukierni Róż pełna nowych pomysłów i zapału. Była gotowa podjąć wyzwanie i zdobyć pierwsze miejsce w konkursie. Razem z ekipą Cukierni Róż przystąpiła do przygotowań. Wykorzystali każdą wolną chwilę na eksperymentowanie z nowymi smakami i kształtami. Zdobycie mistrzostwa było ich wspólnym celem.

W międzyczasie pozostali uczestnicy konkursu również nie próżnowali. Ania, utalentowana dekoratorka tortów, pracowała nad stworzeniem kaskady kwiatów, która miała ozdobić jej wypiek. Marek, znawca tradycyjnych smaków, skupił się na doskonaleniu receptury swojego specjalnego ciasta. Karolina, mistrzyni zdrowych wypieków, eksperymentowała z bezglutenowymi i bezcukrowymi wersjami swoich ciast. Grzegorz, zapalony miłośnik czekolady, opracowywał nowe przepisy na czekoladowe wypieki. A Ewa, zafascynowana sezonowymi owocami, tworzyła desery inspirowane naturą.

Nadszedł wreszcie wielki dzień konkursu. Hala wystawowa tętniła życiem, a zapachy cukierniczych wypieków unosiły się w powietrzu. Jury konkursowe, składające się z renomowanych kucharzy i smakoszy, czekało na prezentacje uczestników.

Pani Cecylia przygotowała swój niezwykły wypiek - wielowarstwowy tort z nutką kardamonu, przełożony kremem z malin i polewą z białej czekolady. Wyglądał on jak prawdziwe dzieło sztuki, a jego smak był absolutnie wyjątkowy. Kiedy pani Cecylia prezentowała swoje dzieło przed jury, sala zamarła w oczekiwaniu.

Następnie przyszła kolej na Anię, która zaprezentowała swój tort z misternie udekorowanymi kwiatami. Marek przedstawił swoje tradycyjne ciasto z nutą cynamonu, a Karolina podzieliła się swoimi zdrowymi wypiekami, które zachwycały lekkością i smakiem. Grzegorz zaprezentował swoje czekoladowe eksperymenty, a Ewa oczarowała jury swoimi sezonowymi deserami.

Po długich i niezwykle trudnych naradach jury w końcu podjęło decyzję. Cukiernicy z niecierpliwością oczekiwali ogłoszenia wyników. Nagle, z podniesionym głosem, przewodniczący jury ogłosił wyniki konkursu.

Na trzecim miejscu uplasował się Marek, którego tradycyjne ciasto zachwyciło jury swoją prostotą i doskonałym smakiem. Drugie miejsce przypadło Karolinie za jej zdrowe i smaczne wypieki. A na pierwszym miejscu, zdobywając tytuł mistrza cukiernictwa, znalazła się pani Cecylia z Cukierni Róż.

Była to chwila triumfu dla pani Cecylii i jej zespołu. Ich wysiłek, pasja i niezwykłe umiejętności zostały docenione. Obywatele Podróżeńska byli dumni ze swojej słynnej cukierni i świętowali razem z nimi.

Po konkursie życie w Cukierni Róż wróciło do normy. Pani Cecylia kontynuowała swoje przygotowania smaków i dekoracji, a ekipa Cukierni Róż tworzyła wypieki pełne miłości i radości. Ich reputacja jako mistrzów cukiernictwa rozprzestrzeniała się, a ludzie z pobliskich miast przyjeżdżali, by spróbować ich wypieków.

Pani Cecylia również podjęła decyzję o organizowaniu warsztatów dla lokalnej społeczności, dzieląc się swoimi umiejętnościami i tajemnicami cukiernictwa. Stała się nie tylko mistrzynią cukiernictwa, ale również mentorką dla kolejnego pokolenia pasjonatów słodkości.

Kulinarna rywalizacja w Cukierni Róż nie tylko przyniosła sławę i uznanie, ale również zjednoczyła miasteczko Podróżeńsko wokół miłości do smaków i wspólnych chwil przy pysznych wypiekach. Była to opowieść o pasji, poświęceniu i odkrywaniu radości w prostych przyjemnościach życia.

# The Culinary Competition at Rose Bakery

In the picturesque town of Podróżeńsko, a unique atmosphere prevailed. It was a world where daily life was infused with the scent of cinnamon, and the streets echoed with the singing of birds. At the heart of the town stood the famous Rose Bakery, run by Mrs. Cecilia, a talented pastry chef with a magical touch. Her baked goods were not only delicious but also warmed people's hearts with joy and happiness.

One day, news reached Rose Bakery about a culinary competition to be held at the upcoming gastronomic exhibition. It was an opportunity for Mrs. Cecilia to showcase her skills and gain recognition as one of the best pastry chefs in the country.

Mrs. Cecilia was thrilled and decided to prepare for the competition in a special way. She participated in a series of workshops to expand her skills and find inspiration. She also got to know the other pastry chefs who would be participating in the competition. Among them were five exceptional individuals: Anna, Marek, Karolina, Grzegorz, and Ewa. Each of them had their unique style and flavors that would captivate the attention of the judging panel.

Mrs. Cecilia returned to Rose Bakery full of new ideas and enthusiasm. She was ready to take on the challenge and win first place in the competition. Together with the Rose Bakery team, they embarked on preparations. They used every spare moment to experiment with new flavors and shapes. Winning the championship was their shared goal.

In the meantime, the other participants of the competition were also hard at work. Anna, a talented cake decorator, focused on creating a cascade of flowers to adorn her creation. Marek, an expert in traditional flavors, concentrated on perfecting the recipe for his special cake. Karolina, a master of healthy baking, experimented with gluten-free and sugar-free versions of her pastries. Grzegorz, an avid chocolate lover, developed new recipes for chocolate-based treats. And Ewa, fascinated by seasonal fruits, crafted desserts inspired by nature.

The much-anticipated day of the competition finally arrived. The exhibition hall buzzed with excitement, and the aromas of baked goods filled the air. The judging panel, consisting of renowned chefs and food connoisseurs, awaited the participants' presentations.

Mrs. Cecilia prepared her extraordinary creation—a multi-layered cake with a hint of cardamom, filled with raspberry cream, and topped with white chocolate ganache. It looked like a true work of art, and its taste was absolutely unique. As Mrs. Cecilia presented her masterpiece to the judging panel, the room fell silent in anticipation.

Next came Anna, who showcased her cake adorned with intricately decorated flowers. Marek presented his traditional cake with a touch of cinnamon, while Karolina shared her healthy baked goods that delighted with their lightness and flavor. Grzegorz presented his chocolate experiments, and Ewa captivated the judges with her seasonal-inspired desserts.

After long and challenging deliberations, the judging panel finally made their decision. The pastry chefs anxiously awaited the announcement of the results. Suddenly, with a raised voice, the chairman of the panel revealed the competition's outcomes.

In third place was Marek, whose traditional cake impressed the judges with its simplicity and exquisite taste. Karolina secured second place for her healthy and flavorful creations. And in first place, earning the title of pastry champion, was Mrs. Cecilia from Rose Bakery.

It was a moment of triumph for Mrs. Cecilia and her team. Their effort, passion, and exceptional skills were recognized. The citizens of Podróżeńsko were proud of their famous bakery and celebrated alongside them.

After the competition, life at Rose Bakery returned to normal. Mrs. Cecilia continued her preparations, creating flavors and decorations, while the Rose Bakery team crafted baked goods filled with love and joy. Their reputation as pastry masters spread, and people from nearby towns flocked to taste their creations.

Mrs. Cecilia also decided to organize workshops for the local community, sharing her skills and the secrets of pastry making. She became not only a pastry champion but also a mentor for the next generation of sweet enthusiasts.

The culinary competition at Rose Bakery not only brought fame and recognition but also united the town of Podróżeńsko around the love of flavors and shared moments with delicious treats. It was a story of passion, dedication, and finding joy in the simple pleasures of life.

# Tajemnica Domu Na Rzecznej Ulicy

Na malowniczej Rzecznej Ulicy, gdzie stare kamienice pełne były tajemnic, mieszkał pan Stanisław, człowiek o łagodnym sercu i wielkiej wyobraźni. Był miłośnikiem dawnych czasów i tęsknił za atmosferą, jaka panowała w przeszłości. Jego największym marzeniem było odkrycie tajemniczego domu, który według legend miał przechowywać zapomniane historie.

Codziennie pan Stanisław przechadzał się po Rzecznej Ulicy, patrząc z nostalgią na stare kamienice i rozmyślając o ich dawnych mieszkańcach. Jego uwagę przyciągał zwłaszcza jeden dom - zrujnowany, opuszczony i pełen tajemnic. Zawsze, gdy przechodził obok niego, czuł jakby ten dom wołał go, by odkrył jego sekrety.

Pewnego dnia pan Stanisław postanowił spełnić swoje marzenie i odkryć tajemnice tego opuszczonego domu. Wziął latarkę, notatnik i ołówek, i stanął przed potężnymi drzwiami, które wydawały się skrzepłymi gardianami ukrytych historii.

Wkroczył do wnętrza, gdzie panowała atmosfera dawnych czasów. Kurzu pełne pokoje zdawały się zachwycać wyczekiwanym odwiedzającym. Pan Stanisław przemierzał pomieszczenie po pomieszczeniu, zapisując w swoim notatniku swoje spostrzeżenia i przemyślenia. W każdym zakamarku czuł jakby historia wracała do życia, wędrując z przeszłością przez teraźniejszość.

W jednym z pokoi natknął się na zapomnianą fotografię - portret pięknej kobiety o niezwykłych oczach. Pod nią znajdowało się napisane krągłe pismo: "Anastazja". Pan Stanisław wiedział, że to klucz do rozwiązania tajemnicy domu.

Pan Stanisław rozpoczął poszukiwania informacji na temat Anastazji. Przeszukał archiwa, rozmawiał z lokalnymi mieszkańcami i zagłębiał się w historię Rzecznej Ulicy. Stopniowo odkrywał fragmenty życia Anastazji - jej pasje, marzenia i niezwykłe historie.

Dowiedział się, że Anastazja była utalentowaną pianistką, która często koncertowała w okolicznych salach muzycznych. Jej muzyka miała magiczną moc przenoszenia słuchaczy w inne czasy i miejsca. Istniały również plotki o ukrytych skarbach, które Anastazja miała zgromadzić w swoim domu.

Z każdym nowym odkryciem, pan Stanisław odczuwał więź z Anastazją i jej domem. Pragnął odkryć prawdę i przywrócić tej opuszczonej historii blask dawnych czasów.

Po wielu tygodniach poszukiwań, pan Stanisław znalazł ukrytych skarbów Anastazji. Były to stare, zapomniane instrumenty muzyczne, rękopisy napisane przez Anastazję oraz klejnoty, które miały wielką wartość zarówno materialną, jak i sentymentalną.

Decyzją pana Stanisława, wszystkie skarby Anastazji zostały przekazane lokalnemu muzeum, gdzie miały zostać wystawione dla publiczności. Chciał, aby każdy mieszkaniec Rzecznej Ulicy mógł odkryć piękno tej zapomnianej historii.

Dom Anastazji, dzięki staraniom pana Stanisława, został odrestaurowany i przekształcony w miejsce spotkań artystów i miłośników kultury. Koncerty i wystawy odbywały się w jego wnętrzach, oddając hołd dawnej wielkości.

Dzięki panu Stanisławowi i jego oddaniu, historia domu na Rzecznej Ulicy została ocalona. Mieszkańcy mieli możliwość odkrycia przeszłości i zrozumienia, jak wiele skarbów może skrywać opuszczony budynek.

Pan Stanisław stał się bohaterem Rzecznej Ulicy, szanowanym za swoje pasmo odkryć i oddanie kulturze. Jego marzenie o tajemniczym domu spełniło się, a Rzeczna Ulica znów tętniła życiem i historiami.

Tajemnica Domu Na Rzecznej Ulicy była opowieścią o miłości do przeszłości, odkrywaniu tajemnic i oddaniu dla kultury. Pan Stanisław udowodnił, że każdy dom skrywa historię, a odnalezienie tych tajemnic może ożywić wspomnienia i przywrócić blask zapomnianym czasom.

# The Mystery of the House on River Street

On the picturesque River Street, where old townhouses were full of secrets, lived Mr. Stanisław, a man with a gentle heart and a vivid imagination. He was a lover of bygone times and longed for the atmosphere that once prevailed. His greatest dream was to uncover the secrets of a mysterious house, which according to legends, held forgotten stories.

Every day, Mr. Stanisław would stroll along River Street, gazing nostalgically at the old townhouses and pondering about their former residents. One particular house caught his attention—the dilapidated, abandoned one, filled with enigmas. Whenever he passed by, he felt as if the house was calling out to him, urging him to uncover its secrets.

One day, Mr. Stanisław decided to fulfill his dream and uncover the mysteries of the abandoned house. He took a flashlight, a notebook, and a pencil, and stood before the grand doors that seemed like weathered guardians of hidden histories.

He stepped inside, where an atmosphere of past times prevailed. The dusty rooms seemed to welcome the long-awaited visitor. Mr. Stanisław traversed from one room to another, jotting down his observations and musings in his notebook. In every nook and cranny, he felt as if history came to life, intertwining past with present.

In one of the rooms, he stumbled upon a forgotten photograph—a portrait of a beautiful woman with extraordinary eyes. Beneath it, written in round handwriting, was the name "Anastasia." Mr. Stanisław knew that it held the key to unraveling the mystery of the house.

Mr. Stanisław began his search for information about Anastasia. He scoured archives, spoke to local residents, and delved into the history of River Street. Gradually, he uncovered fragments of Anastasia's life—her passions, dreams, and remarkable stories.

He learned that Anastasia was a talented pianist, often performing in nearby music halls. Her music had a magical power to transport listeners to different times and places. There were also rumors of hidden treasures that Anastasia had amassed in her house.

With each new discovery, Mr. Stanisław felt a connection to Anastasia and her house. He longed to uncover the truth and restore the faded glory of this forgotten history.

After weeks of searching, Mr. Stanisław found Anastasia's hidden treasures. They included old, forgotten musical instruments, manuscripts written by Anastasia herself, and jewels that held both material and sentimental value.

Mr. Stanisław's decided to donate all of Anastasia's treasures to the local museum, where they would be exhibited for the public. He wanted every resident of River Street to uncover the beauty of this forgotten history.

Anastasia's house, thanks to Mr. Stanisław's efforts, was restored and transformed into a gathering place for artists and culture enthusiasts. Concerts and exhibitions took place within its walls, paying tribute to its former grandeur.

Thanks to Mr. Stanisław's dedication, the history of the house on River Street was saved. The residents had the opportunity to uncover the past and understand the hidden treasures an abandoned building could hold.

Mr. Stanisław became a hero of River Street, respected for his series of discoveries and commitment to culture. His dream of the mysterious house came true, and River Street once again brimmed with life and stories.

The Mystery of the House on River Street was a tale of love for the past, unraveling secrets, and devotion to culture. Mr. Stanisław proved that every house harbors a history, and uncovering those mysteries can breathe life into memories and restore the brilliance of forgotten times.

# Tajemnice Kawiarni przy Placu Słonecznym

---

Na spokojnym Placu Słonecznym, gdzie promienie porannego słońca rozjaśniały kamienice, znajdowała się urokliwa kawiarnia. Jej nazwa brzmiała "Wspomnienia Smaków", a przyciągała mieszkańców miasta oraz przyjezdnych swoim wyjątkowym klimatem i aromatyczną kawą.

Właścicielką kawiarni była pani Eliza, kobieta pełna ciepła i troski o innych. Jej pasją było tworzenie nie tylko pysznych napojów, ale także miejsca, gdzie ludzie mogli zatrzymać się na chwilę, odpocząć i cieszyć się spokojem poranka.

Pewnego dnia, gdy słońce wschodziło nad Placem Słonecznym, do kawiarni przybył pan Adam, młody artysta pełen marzeń. Był zachwycony atmosferą miejsca i postanowił spędzić tu kolejne poranki, oddając się twórczości przy filiżance kawy.

Pan Adam stał się stałym bywalcem "Wspomnień Smaków". Codziennie przybywał do kawiarni o poranku, usadzał się przy oknie i oddawał swoim artystycznym refleksjom, czerpiąc inspirację z widoku Placu Słonecznego.

Pani Eliza, zauważając pasję pana Adama, zaproponowała mu stworzenie serii ilustracji do menu kawiarni. Pan Adam entuzjastycznie przyjął to zadanie, a jego ilustracje ożywiły menu, dodając mu wyjątkowego uroku.

W trakcie tworzenia ilustracji, pan Adam zaczął słuchać historii i opowieści, jakie płynęły z kawiarni. Wsłuchiwał się w rozmowy gości, łapał migawki ich życia i przekazywał je na papierze. Każda filiżanka kawy miała w sobie ukrytą opowieść.

Wraz z każdym porankiem spędzonym w kawiarni, pan Adam odkrywał tajemnice, jakie skrywały Wspomnienia Smaków. Słyszał historie miłości, przyjaźni, tęsknoty i przeżywanych chwil szczęścia. Każda filiżanka kawy była jak magiczne wejście do intymnych wspomnień gości.

Pewnego dnia, gdy pan Adam oddawał się twórczej pracy, do kawiarni przybyła tajemnicza kobieta. Miała na sobie czerwoną chustkę, która idealnie komponowała się z jej zielonymi oczami. Kiedy zamówiła kawę i usiadła przy stoliku, pan Adam nie mógł oderwać od niej wzroku.

Kobieta zaczęła opowiadać swoją historię, pełną miłości i utraty. Jej słowa wypełniły kawiarnię magią emocji, a pan Adam pragnął uchwycić tę historię na swoich ilustracjach. Spędzili wiele godzin na rozmowie, a kiedy kobieta opuściła kawiarnię, pan Adam miał w głowie obrazy, które musiał przelać na papier.

Ilustracje pana Adama zaczęły ożywać w Wspomnieniach Smaków. Goście kawiarni przeglądali menu i wpatrywali się w ilustracje, które opowiadały im historie innych ludzi. Każda filiżanka kawy była teraz przepustką do wyobraźni, do opowieści skrywanych w sercach gości.

Pani Eliza, zafascynowana talentem pana Adama, zaproponowała zorganizowanie wieczoru artystycznego w kawiarni. Pan Adam miał pokazać swoje ilustracje i opowiedzieć historie, jakie kryły się za każdym obrazem.

Wieczór artystyczny przyciągnął wielu gości. Pan Adam przedstawiał swoje ilustracje, jednocześnie opowiadając historie, jakie je inspirowały. Wszyscy słuchali go z zaciekawieniem, wpatrując się w obrazy i oddając się magii opowieści.

Dzięki talentowi pana Adama i pasji pani Elizy, Wspomnienia Smaków stały się miejscem, gdzie historia i sztuka spotykały się w jednym miejscu. Kawiarnia była pełna życia, a goście cieszyli się nie tylko wyjątkową kawą, ale także opowieściami, które kryły się za filiżankami.

Pan Adam kontynuował swoje ilustrowanie, przekuwając kolejne historie na papier. Wraz z panią Elizą tworzył magię, która przywoływała uśmiech na twarzach gości.

Tajemnice Kawiarni przy Placu Słonecznym to opowieść o pasji, sztuce i tajemniczych historiach skrywanych w codziennych miejscach. Dzięki panu Adamowi i pani Elizie, Wspomnienia Smaków stały się oazą dla duszy, gdzie każda filiżanka kawy była drzwiami do niesamowitych opowieści.

# The Secrets of the Café on Sun Square

On the tranquil Sun Square, where the rays of the morning sun illuminated the townhouses, there stood a charming café. Its name was "Memories of Flavors," and it attracted both locals and visitors with its unique ambiance and aromatic coffee.

The owner of the café was Mrs. Eliza, a woman full of warmth and care for others. Her passion was not only creating delicious beverages but also crafting a place where people could pause, relax, and enjoy the tranquility of the morning.

One day, as the sun rose over Sun Square, a young artist named Mr. Adam arrived at the café. He was captivated by the atmosphere of the place and decided to spend his mornings there, indulging in his creative pursuits while sipping a cup of coffee.

Mr. Adam became a regular at "Memories of Flavors." Every day, he would come to the café in the morning, sit by the window, and immerse himself in his artistic reflections, drawing inspiration from the view of Sun Square.

Mrs. Eliza, noticing Mr. Adam's passion, suggested that he create a series of illustrations for the café's menu. Mr. Adam enthusiastically accepted the task, and his illustrations brought the menu to life, adding a special charm to it.

While working on the illustrations, Mr. Adam began to listen to the stories and tales that flowed within the café. He listened to the conversations of the guests, capturing glimpses of their lives and transferring them onto paper. Each cup of coffee held a hidden story.

With each morning spent at the café, Mr. Adam discovered the secrets that "Memories of Flavors" held. He heard stories of love, friendship, longing, and moments of happiness. Each cup of coffee became a magical gateway to intimate memories of the guests.

One day, as Mr. Adam was engrossed in his creative work, a mysterious woman entered the café. She wore a red scarf that perfectly complemented her green eyes. When she ordered her coffee and sat at a table, Mr. Adam couldn't take his eyes off her.

The woman began to share her story, a tale of love and loss. Her words filled the café with the magic of emotions, and Mr. Adam longed to capture her story in his illustrations. They spent hours in conversation, and when the woman left the café, Mr. Adam had images in his mind that he needed to transfer onto paper.

Mr. Adam's illustrations came alive within "Memories of Flavors." Guests of the café browsed the menu and gazed at the illustrations, which told them stories of other people. Each cup of coffee became a gateway to imagination, a vessel for the tales hidden within the hearts of the guests.

Mrs. Eliza, fascinated by Mr. Adam's talent, proposed organizing an artistic evening at the café. Mr. Adam would showcase his illustrations and share the stories that inspired them.

The artistic evening attracted many guests. Mr. Adam presented his illustrations while narrating the stories that lay behind each image. Everyone listened with fascination, gazing at the drawings and surrendering to the magic of storytelling.

Thanks to Mr. Adam's talent and Mrs. Eliza's passion, "Memories of Flavors" became a place where history and art converged. The café brimmed with life, and guests enjoyed not only exceptional coffee but also the stories hidden within the cups.

Mr. Adam continued his illustrations, translating more stories onto paper. Together with Mrs. Eliza, they created magic that brought smiles to the faces of the café's visitors.

"The Secrets of the Café on Sun Square" is a tale of passion, art, and mysterious stories concealed in everyday places. Through Mr. Adam and Mrs. Eliza, "Memories of Flavors" became a sanctuary for the soul, where each cup of coffee served as a doorway to extraordinary tales.

Printed in the USA
CPSIA information can be obtained
at www.ICGtesting.com
LVHW020122140924
790984LV00042B/628

9 798223 300397